P9-EMR-421

LA PETITE ROBE NOIRE

© Éditions Assouline
26-28, rue Danielle-Casanova, Paris 75002 France
Tél. : 01 42 60 33 84   Fax : 01 42 60 33 85
www.assouline.com

Dépôt légal : 2e semestre 2001
Tous droits réservés
ISBN : 2 84323 310 0

Photogravure : Gravor (Suisse)
Imprimé par Grafiche Milani (Italie)

Toute reproduction, même partielle,
de cet ouvrage est interdite
sans l'autorisation préalable de l'éditeur.

Achevé d'imprimer : juillet 2001

LA PETITE ROBE NOIRE

DIDIER LUDOT

ASSOULINE

Prologue

Robe de femme licencieuse ou de diaconesse, de veuve ou de vamp, de bourgeoise ou de domestique, la petite robe noire est l'alliance des contraires. Symbole de la femme respectable qui veut séduire, elle la sécurise et la rend plus dangereuse. Avec elle, c'est le triomphe de l'ambiguïté, le diable qui se fait ermite. Du vice à la vertu, c'est un fantasme vers lequel le regard des hommes et des femmes est le même : convergent.

"S'habiller en noir signifie simplicité des lignes, perfection de la coupe et une touche d'esprit", écrit Suzy Menkès le 10 décembre 1983 à l'occasion de l'exposition *Yves Saint Laurent* au Metropolitan Museum à New York.

En revêtant une petite robe noire, la femme retrouve l'esprit de la mode : le jeu. Paraître, brouiller les pistes, mentir… On l'assassine, on la brûle, elle renaît de ses cendres. Magie ? Non, pure sorcellerie !

Écrin ou parure, pudique ou sexy, austère ou dévergondée, sophistiquée ou minimaliste, la petite robe noire est le symbole éternel de l'amour sorcier. Aussi n'y a-t-il qu'une transparence de mousseline noire vite franchie pour oser écrire, paraphrasant Chanel : "Une femme qui ne porte pas de petite robe noire n'a pas d'avenir." *[Maxime de Chanel inspirée par Paul Valéry : "Une femme qui ne se parfume pas n'a pas d'avenir."]*

La petite robe noire
Exercice de style

Elle est en retard. Arrivant chez elle, elle s'aperçoit que ses invités sont déjà là. Coupable, prise de panique, elle enfile sa petite robe noire, se parfume, ajuste son chignon et agrafe ses perles… Elle est parfaite. C'est Jeanne Moreau dans *Les Amants* de Louis Malle. Elle porte une robe Chanel.

C'est, au détour d'une photo, Marlène Dietrich enregistrant, le cou et les bras parés de gemmes, le reflet de Maria Callas dans un miroir, le vérisme d'Anna Magnani, la perversité glacée de Louise Brooks sous ses perles ou celle de Catherine Deneuve dans *Belle de jour*… C'est Danielle Darrieux dans *Marie Octobre* occultant souvenirs et prémonitions, Anouk Aimée et ses lunettes noires dans *La Dolce Vita,* Audrey Hepburn et son sublime loup de chantilly qui se demande *Comment voler un million de dollars,* Delphine Seyrig dans les stucs d'Amalienburg censés figurer Marienbad, Romy Schneider au milieu de *Max et les ferrailleurs* si charnelle et ambiguë… Mais c'est aussi cette apparition qui laisse glisser son boléro de vison de ses épaules nues sur sa robe noire, la nuit, dans ce bistrot des Halles…

Telle une seconde peau, la petite robe noire fait corps avec celle qui la porte par une sorte de mystérieuse alchimie. S'il est dit que le noir absorbe les contours, il aimante les regards. Et à travers ce kaléidoscope de nos souvenirs, la robe devient l'essence même de la femme qui la porte. Liée à sa petite robe noire par une étrange affection quasi fétichiste, une femme se sépare rarement de ce trésor intemporel, dont elle conserve les multiples facettes, jalons de sa vie, dans les abîmes de sa garde-robe.

Dans le Ménilmontant des années quarante, un "Moineau" du trottoir met tout Paris à ses pieds avec sa voix, sa croix et sa petite robe noire. Édith Piaf refuse tout artifice pour mieux magnifier sa voix. Et si c'est par manque de moyens qu'elle chante la première fois vêtue d'une simple robe noire, elle restera toute sa vie fidèle à cette même image, s'en remettant plus tard à Christian Dior ou à Jacques Heim.

"Vous pouvez porter du noir à toute heure, à tout âge, en toute occasion. Une petite robe noire est un élément essentiel de la garde-robe d'une femme. Je pourrais écrire un livre sur le noir…" écrit Christian Dior en 1954.

Avant lui, l'infaillible Chanel, détournant le noir du deuil, du clergé et des domestiques, en avait fait le symbole du chic parisien. En 1926, sa robe Ford attire presque autant de clientes qu'il y a d'acheteurs dans les usines automobiles. Ce succès foudroyant est dans la trajectoire logique d'une société où les femmes goûtent à une liberté récemment acquise. Avec la première guerre mondiale, le monde a basculé et les "petits télégraphistes", robe aux genoux et minceur de rigueur, ont remplacé les lionnes aux chapeaux insensés et les odalisques chamarrées aux jupes entravées.

"De qui portez-vous le deuil, mademoiselle?" demande Paul Poiret à Chanel. "Mais de vous, monsieur", lui répond-elle. La Garçonne vient de tuer Schéhérazade!

d'abord l'apanage de quelques-unes, intellectuelles et artistes pour la plupart, telle Kiki de Montparnasse, la petite robe noire va rapidement entrer dans les mœurs et s'installer dans un siècle qui ne la lâchera plus. Internationale, elle traverse l'Atlantique avec les femmes du monde à la recherche du "nouveau chic parisien". Les années trente voient l'explosion des maisons de couture. Balenciaga s'installe à Paris, devenue capitale incontestée de la mode.

Les robes rallongent ; en biais avec Madeleine Vionnet, drapées chez madame Grès. Mais ni le romantisme pastel de Nina Ricci ni la surréaliste Elsa Schiaparelli ne pourront se dérober à l'incontournable "petite robe noire" qui fait dorénavant partie de toute collection. Chaque couturier y ajoute son esprit. Elle défile ponctuée ici d'un jabot, là d'une collerette ou de poignets d'organdi.

Lorsque la déclaration de guerre met un terme à une époque insouciante, la robe noire s'engage dans la résistance.

Les manches sont longues par décence envers ceux qui se battent au front et les décolletés sont bannis car considérés comme le symbole de la collaboration avec l'ennemi. Concession à la mode, la Parisienne découvre le pouf, qu'elle préfère, nécessité oblige, amovible chez Balenciaga. Les robes-culottes adaptées à la bicyclette s'agrémentent de poches : modèles que l'on s'arrache chez Robert Piguet, Rochas et, dès 1942, chez Carven, 20, rue des Pyramides…

Les tissus se faisant rares, les maisons de couture ferment peu à peu. Alors on récupère, on teint beaucoup en noir, on raccourcit et souvent, la remise au goût du jour de la robe d'avant guerre se fait, à l'instar des chapeaux, par ajout de tulle qui ne nécessite pas de ticket de rationnement.

Mais dès la fin de la guerre, on verra la petite robe noire swinguer avec les zazous au *Tabou*. Elle devient l'uniforme des existentialistes.

Elle participera aussi au renouveau de la couture. Après cinq années de privations, le retour à l'opulence et à l'hyper-féminité est symbolisé par une débauche de tissu que Christian Dior concrétise avec génie dès sa première collection : le New Look de 1947 est désormais historique ! La saison suivante, la robe Diorama nécessitera 26,70 mètres de crêpe de laine noir en 130 centimètres de large !

Rallongée, la petite robe noire s'orne de décolletés drapés qui mettent en valeur une gorge pigeonnante. De "déjeuner", d'"après-midi" ou de "cocktail", elle fait les belles pages de *Vogue, Harper's Bazaar, Fémina* et autres magazines de mode. C'est le triomphe des belles oisives, vaporeuses en Dior ou en Fath, suprêmement élégantes en Ménines de Balenciaga, ou délicieusement voluptueuses dans un fourreau Jolie Madame de Balmain ou drapé de mousseline par Jean Dessès.

La mort de Christian Dior en 1957 marque l'entrée en scène d'Yves Mathieu-Saint-Laurent. Arrivé dans la maison en 1955, il est consacré couturier avec sa ligne Trapèze. René Gruau choisira une robe noire de cette collection pour l'immortaliser sur la couverture de *L'Officiel* en mars 1958.

Mais ce sont les années soixante qui vont marquer l'apothéose de la petite robe noire. C'est dans la tourmente que se révèle sa véritable nature : l'indestructibilité.

L a Nouvelle Vague jette nombre d'héroïnes, tout de noir vêtues, sur les écrans. Monica Vitti est noire comme *La Notte*, c'est en noir qu'Anita Ekberg mène *La Dolce Vita* à Rome, qu'Ingrid Bergman séduit Anthony Perkins à Paris ou qu'Audrey Hepburn prend son *Petit Déjeuner chez Tiffany* à New York. C'est l'emblème qui permet à Anna Karina d'assurer qu'*Une femme est une femme* en devenant la plus pétillante des Danoises à la terrasse du *Flore* sous l'œil amoureux de Jean-Luc Godard. C'est en noir enfin que Jeanne Moreau a des *Liaisons dangereuses* et immortalise sa *Mariée* et que Brigitte Bardot ne laisse aucun repos à son guerrier...

Coupe simplifiée, droite et démocratisée par le prêt-à-porter, la petite robe noire devient l'uniforme de la bourgeoise, perles au cou et chignon d'Alexandre sur la nuque. Elle l'érige en "must", alors que, paradoxe supplémentaire, sa robe de petit dîner constitue souvent le seul élément noir de sa garde-robe.

La plus parisienne des Américaines arbore une petite robe noire (ras du cou et sans manches) pour séduire Charles de Gaulle lors de la visite présidentielle. C'est à cette occasion que John Kennedy prononce cette phrase restée célèbre : "Je suis l'homme qui accompagne Jackie." Un mythe est né : la robe trois trous de Jackie Kennedy reste à ce jour une référence de mode.

Griffée Balenciaga, elle séduit les femmes du monde, de la duchesse de Windsor à Mona von Bismarck magnifiée pieds nus en petite robe noire par Dali. En mousseline noire, elle envoûte les inconditionnelles de Mademoiselle, et en jersey les adeptes de Cardin le "futuriste". Yves Saint Laurent, qui a fondé avec Pierre Bergé sa propre maison en 1961, décrète que le noir a sa couleur pour toute heure de la journée. Grâce au noir, il ose et impose la transparence. Version "mini", on la voit danser chez Castel et Régine... Son omniprésence oblige Courrèges à lui faire une place parmi les pastels de ses collections. Agrémenté d'une écharpe rouge, ce symbole de la bourgeoisie s'adapte au contexte économique et social pour franchir avec désinvolture les barricades de Mai 68... On pouvait à ce moment penser que, lassée par tant de combats, elle pourrait disparaître, rejoignant ainsi son magicien absolu, créateur de tant de "grandes" petites robes noires. Cristobal Balenciaga, refusant le nouveau marché du prêt-à-porter, ferme ses salons cette même année.

Mais la menace multicolore, tapageuse et échevelée qui se matérialise dans le Flower Power l'oblige encore une fois à faire face : fleurs de Rhodoïd sur organza noir pour Marc Bohan chez Dior, bandes de vinyle brillant sur tricotine chez Cardin, elle maintient le cap. Yves Saint Laurent la rallonge et, version "chemisier", celle-ci devient l'image d'une nouvelle génération de femmes qui, telles Edmonde

Charles-Roux ou Françoise Giroud, vont démontrer que le courage des idées n'est pas contraire au chic.

Dans *Le Charme discret de la bourgeoisie* de Luis Buñuel, Stéphane Audran et Delphine Seyrig en sont les élégants et ambigus symboles.

à la fin de la décennie, la petite robe noire va trouver un second souffle auprès des jeunes créateurs : Mugler, Montana, Beretta, Gaultier ou Alaïa vont changer le cours de la mode. Elle devient l'emblème d'une jeunesse dorée, qui, Paloma Picasso en tête, va s'étourdir du *Studio 54* de New York au *Palace* à Paris, pendant que les adolescentes avec la complicité d'Agnès B. l'arborent désormais dans les cours des lycées. Elle commence alors à perdre sa connotation de robe "femme-femme" et élargit encore son emprise.

En 1983, l'arrivée rue Cambon de Karl Lagerfeld réveille une maison somnolente. Inès de La Fressange est l'égérie du couturier. Clin d'œil à la Ford, le top model conclut chaque défilé en noir Chanel.

Carrure élargie, taille marquée, juchée sur de hauts talons, agressive comme une héroïne de bande dessinée, silhouette pulpeuse sous le crayon d'Antonio, la petite robe noire s'essaye à de nouvelles matières. Cuir ou latex cloutés de strass, elle défile version Mugler ou Montana devant les hordes noires de la cour Carrée, à Paris, pendant qu'Azzedine Alaïa utilise la maille et le stretch pour magnifier le corps d'inaccessibles créatures tout de noir vêtues.

L'arrivée du minimalisme va dans les années quatre-vingt imposer pour longtemps la mode du noir. Tout en conservant sa propre identité, la petite robe noire surfe sur la déferlante nipponne avec Issey Miyake, Rei Kawakubo, Yohji Yamamoto.

Être la coqueluche de créateurs, si doués fussent-ils, ne saurait cependant suffire à cet archétype de la sophistication parisienne et de la quintessence du chic. L'arrivée d'un trublion de génie révolutionne et rajeunit la haute couture parisienne. Au milieu d'une débauche de coloris du Sud, Christian Lacroix va utiliser la petite robe noire comme une ponctuation dans ses défilés.

Les années quatre-vingt-dix marquent l'entrée en scène d'une Milanaise inspirée : Miuccia Prada. Utilisant les stocks restants du Nylon des parapluies de l'entreprise familiale, elle contraint les filateurs à la réflexion. L'ère de la technologie est née. Armée de sa ceinture siglée, la "petite Prada" fait alors la une de tous les journaux. Elle devient ainsi l'apanage d'une jeunesse qui choisit le noir.

La robe retrouve une place de choix dans les penderies les plus "fashion". Autour de cette petite robe noire, le goût des mères, rejoignant celui de leurs filles, se conforte et se révèle plus amplement dans ce phénomène de mélange de générations caractérisant si bien notre temps.

De Calvin Klein à Donna Karan, d'Anne Demeulemeester à Josephus Thimister et Martin Margiela, comme de l'Autrichien Helmut Lang à l'Allemande Jil Sander, tous les nouveaux grands noms de la mode vont alors tenter de s'approprier la petite robe noire, la considérant comme une variante de leur mode "grunge" ou minimaliste.

Conscient qu'elle est devenue une sorte de passage obligé aux yeux de la presse et des professionnels de la mode, chacun s'adonne à cet exercice de style avec le sentiment d'inscrire une étape importante dans son histoire. Même chez Pucci, la fille du maître des imprimés psychédéliques doit désormais se résoudre à glisser des petites robes noires dans son défilé afin de moderniser son image. Jean-Paul Gaultier et Thierry Mugler entrés en couture l'encensent à chaque défilé. Tom Ford s'y pique pour l'ériger en star chez Gucci puis un peu plus tard chez Yves Saint Laurent Rive Gauche. Nicolas Ghesquière, imprégné du maître, la réinterprète chez Balenciaga et Helmut Lang la brandit comme son étendard.

Mais c'est invitée aux rave-parties haute couture qu'organisent deux étrangers excentriques et surdoués – John Galliano chez Christian Dior et Alexander Mc Queen chez Givenchy – que, "destroy", décadente et indécente, la petite robe noire réinvente le glamour.

En ce début de millénaire, cet ex-basique est redevenu le symbole de la féminité. Après avoir acquis ses lettres de noblesse, la petite robe noire est aujourd'hui, au même titre que le tee-shirt, le jean et le trench, devenue l'un des vêtements incontournables de notre époque, que chacune se doit d'avoir dans sa garde-robe. Et si les adolescentes n'hésitent plus désormais à troquer Nike et jean contre une petite robe noire pour surprendre et séduire les garçons dans les raves, c'est que la grande distribution s'est elle aussi emparée de ce vêtement en le mettant avec plus ou moins de bonheur à la portée de toutes.

Dernière catégorie d'âge à avoir été colonisée, les petites-filles de Sonia Rykiel ont rejoint leurs grandes sœurs en noir avec leurs petites robes de circonstance et leur glamour en herbe.

À l'égal du pantalon, la petite robe noire fait l'événement. Elle est devenue signe de modernité. Toujours courte, avec ou sans manches, c'est un électron libre dans l'immense champ de la mode qu'aucun couturier ou styliste ne réussira jamais à s'approprier, quel que soit son génie.

Hors norme, résistant à toutes les modes, elle "est" la mode. Indépendante, souvent insolente, toujours sexy, sublimement juste, elle restera le symbole du jeu subtil de l'éternelle féminité.

Portrait imaginaire de Coco Chanel dans sa robe "Ford" de 1926

Karl Lagerfeld

Jacques Fath, 1952

Madame Grès, 1942

Thierry Mugler, 1985

Balenciaga, 1939

Comme des Garçons, 1987

Prada, 2001

Lucien Lelong, 1928

Lanvin, 1933

Lanvin, 1933

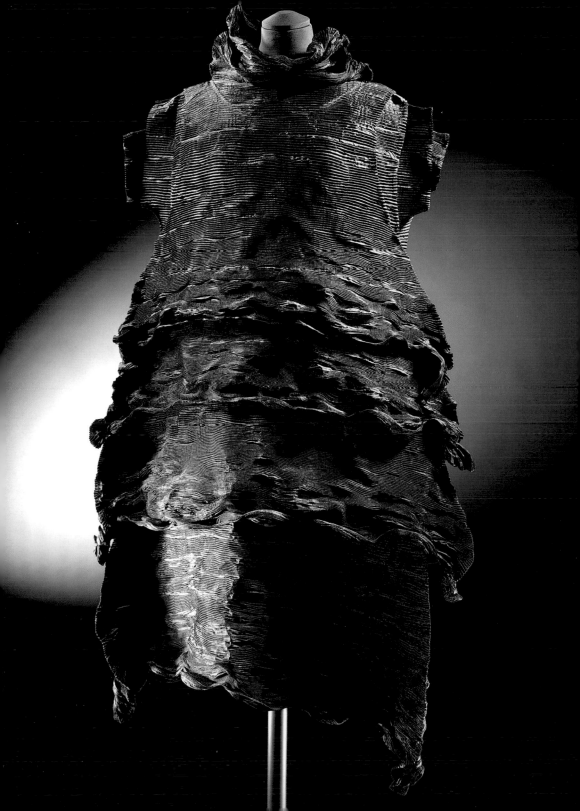

L'OFFICIEL

de la Couture et de la Mode de Pa

COLLECTIONS
DE PRINTEMPS

N° 431-432 - Mars 1958
Prix : 1.200 francs

Christian Dior
Robe de ligne trapèze en Alaskine de Staron

Repères chronologiques

1926 : *La petite robe noire fait son entrée.*
Les cheveux sont courts et les jambes se montrent. Chanel crée la Ford qui devient l'uniforme de la femme moderne et invente le "chic pauvre".

1930 : *La petite robe noire s'installe.*
La couture parisienne est aux mains de fées géniales. Chanel, Vionnet, Lanvin et Schiaparelli savent la dresser à merveille.

1937 : *La petite robe noire a "deux amours".*
Cristobal Balenciaga s'installe à Paris. Jacques Fath fonde sa propre maison.

1940 : *La petite robe noire résiste.*
Digne, discrète, sans falbalas, elle reste le symbole du chic patriotique malgré la pénurie de tissu. Grâce à l'ingéniosité et aux astuces de la Parisienne, elle nargue l'occupant.

1943 : *La petite robe noire indispensable.*
Pierre Balmain, qui partage avec Christian Dior la responsabilité des collections chez Lucien Lelong, présente une robe d'après-midi baptisée Petit profit en crêpe de chine noir sur Praline (qui s'appelait alors Jeanine). Cette robe remporte un énorme succès et est vendue à trois cent soixante exemplaires.

1945 : *La petite robe noire au Théâtre de la Mode.*
Pour relancer la haute couture française après la guerre, les couturiers organisent une tournée mondiale de leurs modèles présentés sur de petits mannequins de fil de fer créés par Éliane Bonabel sous la direction artistique de Christian Bérard, dit "Bébé". Cette exposition est inaugurée le 27 mars 1945 à Paris.

1947 : *La petite robe noire trouve son New Look.*
Christian Dior présente sa première collection en février 1947 avenue Montaigne. La longueur et l'ampleur révolutionnaires de ses modèles montrent que c'est à nouveau Paris qui dicte sa loi en matière de mode.

1953 : *La petite robe noire rencontre Sabrina.*
Un an après l'ouverture de sa maison rue Alfred de Vigny, Hubert de Givenchy découvre sa muse : Audrey Hepburn.

1957 : *La petite robe noire prend le deuil.*
Trois ans après Jacques Fath, Christian Dior meurt d'un arrêt cardiaque le 23 octobre après une partie de canasta en Italie.

1960 : *La petite robe noire se fait une toile.*
D'Antonioni à Resnais, elle crève l'écran. En revêtant perfidement de robes noires leurs héroïnes, les manipulateurs de la Nouvelle Vague annoncent la couleur pour se démarquer des comédies en Technicolor des années cinquante et, sans s'attirer les foudres de la censure, ils vénèrent une femme fatale moderne dont ils intellectualisent l'indécente sensualité.

1962 : *La petite robe noire défile rue Spontini le 29 janvier.*
Après s'être installé rue La Boëtie en septembre 1961, Yves Saint Laurent présente sa première collection où elle a une place de choix.

1965 : *La petite robe noire devient mini.*
Sous la baguette magique de Courrèges, la mode se trouve bouleversée et rajeunie.

1968 : *La petite robe noire a des "larmes amères".*
Désespérée par le retrait de Balenciaga, Mona von Bismarck reste recluse dans son hôtel de l'avenue de New York… pendant trois jours.

Givenchy, automne-hiver 1956. Robe de petit dîner en satin duchesse ornée de nœuds escarpin,
la perfection faite robe noire. Coll. Didier Ludot. © Gilles Trillard/Éditions Assouline.

1970 : *La petite robe noire "peace and love".*
Mini ou maxi, elle lutte pour un monde meilleur.

1971 : *La petite robe noire "à la recherche du temps perdu".*
Yves Saint Laurent présente une collection inspirée de la guerre. Tournant son dos de dentelle immortalisé par Jean-Loup Sieff, elle se rit des critiques de la presse...

1975 : *La petite robe noire trouve un nouveau maître.*
Thierry Mugler présente pour la première fois sa collection à Neuilly dans le studio du photographe Sam Levin.

1978 : *La petite robe noire aux Tuileries.*
Montana, Beretta et Rykiel défilent sous les tentes autour du Grand Bassin.
C'est l'ère des nouveaux créateurs.

1981 : *La petite robe noire dompte les enfants terribles.*
C'est le premier défilé de Comme des Garçons et Yohji Yamamoto qui oublient la forme du corps et intellectualisent le noir, ainsi que celui du plus parisien des créateurs, Jean-Paul Gaultier.

1985 : *La petite robe noire "diva" au palais Garnier.*
Oubliant enfin l'image réductrice de chantre de la couture sexy dont elle affubla trop longtemps Azzedine Alaïa, la mode reconnaît enfin le génie et l'extrémité de ses coupes et couronne son talent au palais Garnier en lui décernant deux oscars : l'un pour la collection été 86, sacrée meilleure collection, l'autre comme meilleur créateur de l'année 85.

1987 : *La petite robe noire : une Arlésienne au cœur battant.*
Christian Lacroix ouvre sa propre maison au terme de cinq années de triomphe chez Patou.

1989 : *La petite robe noire joue au Dé d'or.*
Pour sa première collection chez Dior, Gianfranco Ferré la démesure en la parant d'énormes boutons de perles, d'une multitude de volants d'organza et de rubans de satin. Il obtient le Dé d'or pour l'hommage qu'il rend au créateur de la maison.

1990 : *La petite robe noire à l'assaut de lieux insolites.*
Les "Six d'Anvers" font défiler dans des garages ou des gares désaffectés les robes de laine bouillie de leur mode "grunge".

1995 : *La petite robe noire invente "le basique".*
Miuccia Prada et Calvin Klein créent le minimalisme bourgeois en réinterprétant la robe trois trous de Jackie. Le noir est leur source d'inspiration et la base de leurs collections.

1997-1998 : *La petite robe noire et son éternel retour.*
La notion de vraies valeurs : le "vintage", véritable phénomène social, accapare la mode. La femme se veut désormais unique et chaque maison puise dans son patrimoine. Demi Moore et Stephanie Seymour en sont les ambassadrices.

2000 : *La petite robe noire domestiquée.*
Dans son défilé haute couture chez Christian Dior, John Galliano pousse le snobisme jusqu'à présenter des petites robes noires avec un tablier à volants, une coiffe et un plumeau de petite bonne.

2001 : *La petite robe noire enjambe le troisième millénaire.*
Le noir est la direction et la structure de tout défilé. La publicité et la communication prennent la petite robe noire en otage comme faire-valoir de leurs produits.

Didier Ludot, printemps-été 2001, modèle Intermezzo.
© *Gilles Trillard/Éditions Assouline.*

La petite robe noire

Coco Chanel dans sa robe Ford imaginée par le crayon de Karl Lagerfeld. Fourreau de crêpe noir, armure de la femme moderne et indépendante, telle la carrosserie fonctionnelle de la Ford. © Karl Lagerfeld/Chanel.
Mademoiselle travaillant dans son studio en 1962. © Douglas Kirkland/Corbis AX022051.

Yves Saint Laurent, 1972. Parfaite robe-chemisier en crêpe de Chine, ceinturée de box : le chic et la simplicité réunis. Coll. Didier Ludot. © Gilles Trillard/Éditions Assouline. **Édith Piaf à l'Olympia** en 1961 dans une robe de Jacques Heim. Une frêle silhouette noire surgie de la pénombre de la scène se découpe sur un gigantesque rideau rouge. Arrachée aux tréfonds de son être, sa voix grandiose submerge la salle. © Yvon Bérangier/Musée Édith Piaf.

Le théâtre de la mode en 1945. Modèle de Marcel Rochas présenté sur un mannequin d'Éliane Bonabel. Robe de lainage noir de Rodier, chapeau de satin recouvert de dentelle. © David Seidner. **Maria Montez** lors de l'essayage d'une robe d'après-midi chez Jacques Fath en compagnie de son mari Jean-Pierre Aumont. Jeune, beau et célèbre, ce trio illustre à merveille l'atmosphère insouciante et glamour de la maison. Photo publiée dans *Fémina*, novembre 1946. © Roger Schall.

Christian Dior, collection printemps-été 1955. Robe d'après-midi en laine froide, travail de quilles plissées. Coll. Didier Ludot. © Gilles Trillard/Éditions Assouline. **Diorama, collection automne-hiver 1947.** Robe d'après-midi habillée. Elle a nécessité 26,70 m de crêpe de laine noir en 130 cm de large, 50 m de tresse, 230 h de travail. Elle pèse plus de 3 kg. © Forlano/Diorama.

Marlène Dietrich enregistrant à New York en 1952. Image d'un monstre sacré dont le visage et la voix n'ont d'égales que ses jambes mythiques échappées d'un fourreau-écrin. © Eve Arnold/Magnum, Paris.
Balenciaga, 1956. Robe d'après-midi en crêpe de laine. Travail de drapé basculé à l'arrière et retenu sous la poitrine par un nœud. Modèle étonnamment moderne paru dans l'*Officiel de la couture* en octobre 1956. © Seeberger/BNF, Paris.

Marilyn, photographiée à son insu à Fantom Hill par Milton Greene. Lumineuse, pulpeuse, émouvante, fidèle à sa légende. © 2001 Milton H. Greene Archives, Inc. www.archivesmhg.com.
Catherine Deneuve à la présentation du film *Répulsion* de Roman Polanski en 1965. Plissé soleil et talons fins : une allure contemporaine. © Rue des Archives.

Chanel relance la robe à danser noire. Collection hiver, 1962. Mousseline pour ce modèle avec jupe à plis crêtés au-dessous d'un corselet satin noir présenté dans l'escalier mythique paru dans *La Femme chic* n° 489. © Seeberger/BNF, Paris.

Balenciaga, collection automne-hiver 1960. Robe de dîner en damassé de soie de Staron, dos asymétrique accentué d'une coque, un travail de maître. Coll. Didier Ludot. © Gilles Trillard/Éditions Assouline. **Robe de petit dîner de Balenciaga.** Sous les yeux de l'illustrateur Alfredo Bouret et de Tina Sari de *Vogue* France, un mannequin défile dans un fourreau de crêpe de soie laissant deviner le fond de robe qui moule le corps. 1957. © Kublin/Archives Balenciaga.

Delphine Seyrig, parée de mousseline noire par Chanel, énigmatique et alanguie dans le film onirique d'Alain Resnais *L'Année dernière à Marienbad,* en 1961. © D.R./Prod. D.B.

Montana, 1989. Mini-robe en double gazar de soie, épaules garnies de chaîne d'argent, zippée devant. Longueur asymétrique. Coll. Didier Ludot. © Gilles Trillard/Éditions Assouline. **Déclinaisons** (de g. à dr., de haut en bas). Jacques Fath, 1952 ; Grès, 1942 ; Thierry Mugler, hiver 1985 ; Balenciaga, 1939 ; Comme des Garçons, 1987 ; Prada, hiver 2001 ; Lucien Lelong, 1928 ; Jeanne Lanvin, 1933 (dos et face). Coll. Didier Ludot. © Gilles Trillard/Éditions Assouline.

Marc Vaughan, 1971. Spectaculaire robe carrée en shantung de soie illustrant le talent de ce couturier injustement méconnu. Coll. Didier Ludot. © Gilles Trillard/Éditions Assouline.
Audrey Hepburn sur le tournage à Paris de *Deux têtes folles* de Richard Quine en 1962. Elle porte une robe de Givenchy en compagnie de son chien Famous. © Bob Willougby.

Mélina Mercouri. Le profond décolleté de sa robe accentue l'érotisme généreux qui émane de l'actrice dans le film de Jules Dassin *Jamais le dimanche* en 1960. © Christophe L.

La première robe griffée Yves Saint Laurent est une petite robe noire. Créée en décembre 1961 pour madame Arturo Lopez Willshaw, elle est sans manches en crêpe georgette gaufré, haut brodé de jais. L'encolure est négligemment barrée d'un ruban de satin. © Archives Yves Saint Laurent Haute Couture.
Le Nude Look. Très audacieux jeu de transparence chez Yves Saint Laurent en 1966. © P. Boulat/Cosmos.

Stéphane Audran dans *Le Charme discret de la bourgeoisie* de Luis Buñuel en 1972. Dîner mondain et perversité à fleur de peau. © Christophe L.
Jeanne Moreau dans *Les Amants* de Louis Malle en 1958. Ardente et troublante beauté dans sa robe Chanel. © Vincent Rosselle.

Romy Schneider, chanelissime incarnation de la femme idéale selon Coco. © Rue des Archives.
La Parisienne et sa petite robe noire : illustration d'une histoire d'amour. Croquis alerte de Karl Lagerfeld, 1988. © Karl Lagerfeld/Chanel.

Chanel, vers 1962. Mousseline de soie dans le plus pur style de Mademoiselle. Coll. Didier Ludot. © Gilles Trillard/Éditions Assouline.
Gucci, collection automne-hiver 2001-2002 par Tom Ford. Robe de centurionne qui annonce le retour en force du mini. © Patrice Stable.

Yohji Yamamoto en pleine réflexion sur l'ordre de passage des modèles qu'il présente pour le défilé du printemps-été 1991. © Thierry Bouët.

Issey Miyake, collection printemps-été 1993. Étonnante robe "écorce", véritable sculpture de polyester plissé. © V&A Picture Library.

Christian Dior, collection haute couture printemps-été 2001 par John Galliano. Glamour déjanté. © Archives Christian Dior, Paris.
Thierry Mugler, 1985. Robe de vinyle, carrure très épaulée typique des années quatre-vingt. Griffes transparentes sur le devant, longueur asymétrique. Coll. Didier Ludot. © Gilles Trillard/Éditions Assouline.

Azzedine Alaïa, collection automne-hiver 1981-1982. Robe de jersey de laine. Tablier enroulé retenu par une ceinture de vernis noir, provenant de la garde-robe du célèbre mannequin Bettina. Coll. Didier Ludot. © Gilles Trillard/Éditions Assouline.
La célèbre robe zippée, dos hublot, croquée avec talent par Thierry Perez. Azzedine Alaïa, 1981. © Thierry Perez.

Chanel, hiver 1962. Superposition de volants de mousseline nervurés. Ceinture de satin ornée de l'emblème de la maison : le camélia. Coll. Didier Ludot. © Stedelijk Modemuseum Hasselt/D.R.
Prada, automne-hiver 2001-2002. Sage et impudique, la "petite Prada" s'émancipe. © Patrice Stable.

Couverture de *L'Officiel de la couture* en mars 1958. © Gruau/Galerie Sylvie Nissen.
Christian Lacroix, collection printemps-été 1993. Baby-doll de gazar de soie ornée d'un nœud-croix. Coll. Dominique Fallecker. © Gilles Trillard/Éditions Assouline.

Pierre Cardin, 1969. Mini-robe asymétrique en jersey de Racine, attestation parfaite du goût du couturier pour la géométrie. Coll. Didier Ludot. © Gilles Trillard/ Éditions Assouline.
Sophia Loren et Carlo Ponti Junior en 1973. Tendresse d'une mère-star belle comme une madone. © Imapress/Globe Archive/Globe Photos Inc. 1973.

Paloma Picasso danse avec Xavier de Castellane à la party d'Antonio au Privilège en 1983. © Roxanne Lowit 1983.
Monica Vitti. Sensualité torride de l'égérie d'Antonioni dans *La Notte* en 1960. © T.C.D./D.R./Prod. D.B.

René Gruau : couverture pour *L'International-Textile* en 1955. © Gruau/Galerie Sylvie Nyssen.
Balenciaga, robe hiver 1967 en gazar noir d'Abraham, courte, en forme de fuseau, très étroite en bas et s'évasant en quatre cornes retenues par des bretelles de strass : le nec plus ultra du couturier. © Hiro.

Dolce & Gabbana prouvent par ce modèle du printemps-été 2001 qu'ils ont respecté les données modernes d'une petite robe noire. © Patrice Stable.
Anouk Aimée avec Marcello Mastroianni dans *La Dolce Vita* de Fellini en 1959. Une sombre beauté lassée par trop de nuits blanches dans un "no man's land" entre rêve et réalité. © Cat/Kipa.

Christian Dior par Yves Saint Laurent, automne-hiver 1959. Alliance inédite de crêpe de laine et de tricot pour cette robe-tonneau. Coll. Didier Ludot. © Gilles Trillard/Éditions Assouline. **Lucien Lelong, 1945.** Robe de crêpe marocain, effet de fronces aux épaules et de drapé sur le devant. Création de Christian Dior, alors directeur artistique de la maison (il le restera jusqu'en 1946). Coll. Didier Ludot. © Gilles Trillard/Éditions Assouline.

La petite robe noire, messagère d'espoir de paix et d'amour, pour Antonio, influencé par les Beatles. *Fashion of the Times*, 1967 (feutre et vernis couleur). © Antonio.
Courrèges, 1965. Tricotine, découpe surpiquée agrémentée de boutons d'acier. Coll. Didier Ludot. © Gilles Trillard/Éditions Assouline.

Déclinaisons. Anne Demeulemeester, printemps-été 2001 ; Helmut Lang ; Yves Saint Laurent Rive Gauche, automme-hiver 2001-2002 ; Louis Vuitton. © Patrice Stable. **Hugo Boss, 2001.** © Greg Mc Dean/Hugo Boss.

L'auteur et l'éditeur tiennent à remercier Felix Farrington, Dominique Fallecker, Seïchi Hibiki, Miuccia Prada, Mirabelle Sainte-Marie, le musée des Amis d'Édith Piaf, les Archives Chanel (Marika Genty), les Archives Balenciaga Paris (Marie-Andrée Jouve), les Archives Christian Dior Paris (Soizic Pfaff, Barbara Jeauffroy), les Archives Yves Saint Laurent Haute Couture (Hector Pascual, Pascal Sittler), la maison Stockman.